BILOU

et la libraire du tonnerre

Texte : Roxane Turcotte

Illustrations : Jean-Luc Trudel

LES ÉDITIONS DE LA
BAGNOLE

Une société de Québecor Média

Catalogage avant publication de Bibliothèque et Archives nationales du Québec et Bibliothèque et Archives Canada

Turcotte, Roxane, 1952-, auteur
Bilou et la libraire du tonnerre / Roxane Turcotte, auteure ;
Jean-Luc Trudel, illustrateur.
(La vie devant toi)
Public cible : Pour enfants de 5 ans et plus.
ISBN 978-2-89714-183-7
I. Trudel, Jean-Luc, 1959-, illustrateur. II. Titre.
III. Collection : Vie devant toi.

PS8639.U726B54 2019   jC843'.6 C2018-942567-9
PS9639.U726B54 2019

GROUPE VILLE-MARIE LITTÉRATURE
Vice-président à l'édition
Martin Balthazar

DIRECTION LITTÉRAIRE ET ARTISTIQUE
Lucie Papineau

GRAPHISME
Clémence Beaudoin

RÉVISION LINGUISTIQUE
Michel Therrien

Les Éditions de la Bagnole
Groupe Ville-Marie Littérature inc.
Une société de Québecor Média
1055, boulevard René-Lévesque Est, bureau 300
Montréal (Québec) H2L 4S5
Tél. : 514 523-7993
Téléc. : 514 282-7530
Courriel : info@leseditionsdelabagnole.com
leseditionsdelabagnole.com

© Les Éditions de la Bagnole, 2019
Tous droits réservés pour tous pays
ISBN 978-2-89714-183-7
Dépôt légal : 1er trimestre 2019
Bibliothèque et Archives nationales du Québec
Bibliothèque et Archives Canada

Les Éditions de la Bagnole bénéficient du soutien de la Société de développement des entreprises culturelles du Québec (SODEC) pour leur programme d'édition.

Gouvernement du Québec – Programme de crédit d'impôt pour l'édition de livres – Gestion SODEC.

Nous remercions le Conseil des arts du Canada de l'aide accordée à notre programme de publication.

Financé par le gouvernement du Canada | Canadä

Imprimé en Chine

À *Karine Minier, orthophoniste*
R. T.

Roxane Turcotte aux Éditions de la Bagnole
Ça suffit, monsieur l'Ogre !
(illustrations de Josée Bisaillon)

Jean-Luc Trudel aux Éditions de la Bagnole
Le jouet brisé
(texte de Louis Émond)
Ma petite boule d'amour
(texte de Jasmine Dubé)

DISTRIBUTION EN AMÉRIQUE DU NORD

Canada et États-Unis :
Messageries ADP inc.*
2315, rue de la Province
Longueuil (Québec) J4G 1G4
Pour les commandes : 450 640-1237
messageries-adp.com
*Filiale du Groupe Sogides inc. ;
filiale de Québecor Média inc.

DISTRIBUTION EN EUROPE

France :
INTERFORUM EDITIS
Immeuble Paryseine
3, Allée de la Seine
94854 Ivry-sur-Seine Cedex
Pour les commandes : 02.38.32.71.00
interforum.fr

Belgique :
INTERFORUM BENELUX SA
Fond Jean-Pâques, 4
1348 Louvain-La-Neuve
Pour les commandes : 010.420.310
interforum.be

Suisse :
INTERFORUM SUISSE
Route A.-Piller, 33 A
CP 1574
1701 Fribourg
Pour les commandes : 026.467.54.66
interforumsuisse.ch

La Bagnole est sur Facebook ! Suivez-nous pour être informés des activités et des nouvelles parutions.
Facebook.com/leseditionsdelabagnole

Un jour, deux amies m'ont confié avoir longtemps caché leur difficulté à lire lorsqu'elles étaient enfants. Heureusement, chacune a bénéficié de la bienveillance d'un adulte qui lui a lui apporté attention, savoir-faire et chaleur humaine à un moment opportun. La magie a opéré. Ces amies sont devenues des enseignantes de français vibrantes d'empathie pour leurs élèves.

Je dédie ce livre à tous les enseignants, orthophonistes, parents et libraires du tonnerre ! Et bien sûr à tous les Bilous qui découvrent le bonheur de lire, même si la route est parfois un peu tortueuse…

Roxane Turcotte

Madame Lulis est une libraire du tonnerre.

Dans sa boutique, les livres
d'images déploient leurs pages.
Dès qu'un lecteur pousse la porte,
un bouquin se pose entre ses mains.

Bilou n'entre jamais dans la librairie,
mais il s'arrête souvent devant la vitrine.

Oh ! On dirait qu'un livre veut s'envoler vers lui !

Sur la couverture, un grand voilier. Sur son plus haut
mât flotte un drapeau noir. C'est une histoire de pirates !

Bilou en a vu au cinéma. Il les préfère entre toutes.

Madame Lulis voit briller les yeux de Bilou. Elle s'avance sur le seuil.

— *Le grand voyage de Bourbon, le redoutable pirate,* j'adore !

s'exclame-t-elle en lisant le titre.

Bilou refuse le livre. Il serre les poings. Madame Lulis le voit bien. Bilou cache un secret.

Samedi après-midi. Bilou s'ennuie.
Il repense au grand voyage du pirate.
Il dérive jusqu'à la vitrine de la librairie,
mais le livre n'y est plus. Envolé, sans
doute entre les mains d'un lecteur.

La porte de la boutique est ouverte. Bilou observe madame Lulis. Elle lit. *Le grand voyage de Bourbon, le redoutable pirate* n'a pas été vendu ! C'est entre ses mains qu'il est venu se poser.

La lectrice tapote le siège à côté d'elle.

— Pour voyager dans les livres, il n'y a pas mieux que mon vieux sofa moelleux. Plus douillet que le ventre d'un cachalot !

Madame Lulis a pour lire une voix de sirène.

Voilà Bilou parti en mer en compagnie de Bourbon, le terrible pirate.

À la page 2 surgit le pire ennemi de Bourbon. Madame Lulis incline le livre pour mieux le faire voir à Bilou.

Dans sa tête, Bilou tente de lire le nom sous le dessin.

Kar… ba… dou, Kar… da… bou.

Son cœur tangue comme un navire dans la tempête. La libraire voit les doigts de Bilou se crisper. Elle reprend la lecture.

— Kardabadou, c'est vraiment un drôle de nom, dit la sirène Lulis.

La houle se calme dans la poitrine de Bilou. Le bateau vogue jusqu'au dénouement.

— J'ai A-DO-RÉ! déclare la libraire du tonnerre en déposant le livre. Et toi?

Bilou serre l'album sur son cœur avant de le rendre.

« Reviens quand tu veux, petit pirate ! »
lui a dit la libraire.

Mais la peur fait hésiter Bilou.
Si madame Lulis lui demande
de lire à haute voix, elle découvrira son
secret. Mais la douce libraire raffole comme
lui de l'histoire du pirate. Il semble
à Bilou qu'il peut tout lui avouer.

Le lendemain, il se confie. Lire pour lui,
c'est difficile. Plus que pour les autres
enfants de son âge. Madame Lulis
prend la main de Bilou.

— Et si on relisait l'histoire du
pirate que tu aimes tant ?

La bienveillance de madame Lulis rassure Bilou. La libraire relit toujours la même histoire de Bourbon, le terrible. Bilou adore cela. D'une fois à l'autre, il reconnaît des tas de mots.

Son passage préféré, c'est lorsque Bourbon déchiffre sur le vieux parchemin les indices qui le mèneront au fabuleux trésor.

île, rocher, pointu,
caverne, ouest, trésor,
attend

Comme Bourbon, Bilou relie les mots pour comprendre le message.

Sur l'île au rocher pointu se trouve une caverne à l'ouest où le trésor t'attend.

Malgré la mer houleuse, Bilou et le pirate voguent confiants vers la victoire.

Parfois, madame Lulis s'arrête de lire…
quand l'histoire fait battre le cœur d'émotion.

Captivé, Bilou prend le livre pour lire la suite.

Sur l'île au rocher pointu,
le trésor attend Bourbon, mais
Kardabadou l'attend aussi.

Bilou murmure. Comme pour faire
entendre sa lecture à madame Lulis.
« KAR… DA… BA… DOU. »

Quand cela se produit, c'est la fête
dans le cœur de la libraire.

Et dans le cœur de Bilou.

Surtout que Bourbon gagne toujours
contre son pire ennemi !

Aujourd'hui, comme d'habitude, madame Lulis attend Bilou.

— Où est le livre, madame Lulis ?

— Je l'ai caché. À toi de le retrouver, le défie-t-elle en lui tendant un bout de papier où sont écrits des indices.

Sur le comptoir, il y a un coffret. Des mots t'attendent dans le coffret. Les mots te conduiront au trésor.

Bilou court à l'arrière-boutique. Il lit les mots trouvés dans le coffret.

droite   boîte   toi   première   pour

Bilou comprend tout de suite ce qu'ils veulent dire :

La première boîte à droite est pour toi.

Le cœur battant, Bilou découvre le livre de Bourbon le pirate et… un magnifique voilier miniature. Comme il fait bon d'avoir dans sa vie madame Lulis !

Ce jour-là, Bilou lit le livre tout seul et mène le voilier de Bourbon jusqu'à l'horizon, avec le trésor comme cargaison.

Lorsqu'il lit le mot FIN, une bruine mouille le regard de la libraire.

— Tu es le plus formidable pirate sur la mer des mots, Bilou.

— Et vous, madame Lulis, vous êtes ma sirène du tonnerre préférée. Auriez-vous un autre livre à me prêter ?

J'adore les dragons !